开放合作　命运与共

——在第二届中国国际进口博览会开幕式上的主旨演讲

（2019年11月5日）

习　近　平

人　民　出　版　社

开放合作　命运与共

——在第二届中国国际进口博览会开幕式上的主旨演讲

（2019年11月5日）

中华人民共和国主席　习近平

尊敬的马克龙总统，

尊敬的霍尔尼斯总理、米佐塔基斯总理、布尔纳比奇总理，

尊敬的各位议长，

尊敬的各位国际组织负责人，

尊敬的各代表团团长，

各位来宾，

女士们，先生们，朋友们：

在这多彩的深秋时节，很高兴同大家相聚在黄浦江畔。现在，我宣布，第二届中国国际进口博览会正式开幕！

首先，我谨代表中国政府和中国人民，并以我个人的名义，对远道而来的各位嘉宾，表示热烈的欢迎！向来自世界各地的新老朋友们，致以诚挚的问候和良好的祝愿！

一年前，我们在这里成功举办首届中国国际进口博览会。今天，更多朋友如约而至。本届中国国际进口博览会延续“新时代，共享未来”的主题。我相信，各位朋友都能乘兴而来、满意而归！

女士们、先生们、朋友们！

去年，我在首届进博会上宣布了中国扩大对外开放的5方面举措，对上海提出了3点开放要求。一年来，这些开放措施已经基本落实。其中，上海自由贸易试验区临港新片区已经正式设立，我们还在其他省份新设6个自由贸易试验区；上海证券交易所设立科创板并试点注册制已经正式实施；长三角区域一体化发展已经作为国家战略正式实施；外商投资法将于明年1月1日起实行；全面实施准入前国民待遇加负面清单管理制度已经出台；扩大进口促进消费、进一步降低关税等取得重大进展。去年,我在进博会期间举行的双边活动中同有关国家达成98项合作事项,其中23项已经办结,47项取得积极进展,28项正在加紧推进。

女士们、先生们、朋友们!

经济全球化是历史潮流。长江、尼罗河、亚马孙河、多瑙河昼夜不息、奔腾向前,尽管会出现一些回头浪,尽管会遇到很多险滩暗礁,但大江大河奔腾向前的势头是谁也阻挡不了的。

世界经济发展面临的难题,没有哪一个国家能独自解决。各国应该坚持人类优先的理念,而不应把一己之利凌驾于人类利益之上。我们要以更加开放的心态和举措,共同把全球市场的蛋糕做大、把全球共享的机制做实、把全球合作的方式做活,共同把经济全球化动力搞得越大越好、阻力搞得越小越好。

为此,我愿提出以下几点倡议。

第一,共建开放合作的世界经济。当今世界,全球价值链、供应链深入发展,你中有我、我中有你,各国经济融合是大势所趋。距离近了,交往多了,难免会有磕磕碰碰。面对矛盾和摩擦，协商合作才是正道。只要平等相待、互谅互让，就没有破解不了的难题。我们应该坚持以开放求发展，深化交流合作，坚持“拉手”而不是“松手”，坚持“拆墙”而不是“筑墙”，坚决反对保护主义、单边主义，不断削减贸易壁垒，推动全球价值链、供应链更加完善，共同培育市场需求。

第二，共建开放创新的世界经济。创新发展是引领世界经济持续发展的必然选择。当前，新一轮科技革命和产业变革正处在实现重大突破的历史关口。各国应该加强创新合作，推动科技同经济深度融合，加强创新成果共享，努力打破制约知识、技术、人才等创新要素流动的壁垒，支持企业自主开展技术交流合作，让创新源泉充分涌流。为了更好运用知识的创造以造福人类，我们应该共同加强知识产权保护，而不是搞知识封锁，制造甚至扩大科技鸿沟。

第三，共建开放共享的世界经济。我们应该谋求包容互惠的发展前景，共同维护以联合国宪章宗旨和原则为基础的国际秩序，坚持多边贸易体制的核心价值和基本原则，促进贸易和投资自由化便利化，推动经济全球化朝着更加开放、包容、普惠、平衡、共赢的方向发展。我们应该落实联合国2030年可持续发展议程，加大对最不发达国家支持力度，让发展成果惠及更多国家和民众。

女士们、先生们、朋友们！

站在新的历史起点，中国开放的大门只会越开越大。中国共产党刚刚举行了十九届四中全会，制定了关于坚持和完善中国特色社会主义制度、推进国家治理体系和治理能力现代化若干重大问题的决定，其中包括很多深化改革、扩大开放的重要举措。我们将坚持对外开放的基本国策，坚持以开放促改革、促发展、促创新，持续推进更高水平的对外开放。

第一，继续扩大市场开放。中国有近14亿人口，中等收入群体规模全球最大，市场规模巨大、潜力巨大，前景不可限量。中国老百姓有一句话，叫作"世界那么大，我想去看看"。在这里我要说，中国市场这么大，欢迎大家都来看看。中国将增强国内消费对经济发展的基础性作用，积极建设更加活跃的国内市场，为中国经济发展提供支撑，为世界经济增长扩大空间。中国将更加重视进口的作用，进一步降低关税和制度性成本，培育一批进口贸易促进创新示范区，扩大对各国高质量产品和服务的进口。中国将推动进口和出口、货物贸易和服务贸易、双边贸易和双向投资、贸易和产业协调发展，促进国际国内要素有序自由流动、资源高效配置、市场深度融合。

第二，继续完善开放格局。中国对外开放是全方位、全领域的，正在加快推动形成全面开放新格局。中国将继续鼓励自由贸易试验区大胆试、大胆闯，加快推进海南自由贸易港建设，打造开放新高地。中国将继续推动京津冀协同发展、长江经济带发展、长三角区域一体化发展、粤港澳大湾区建设，并将制定黄河流域生态保护和高质量发展新的国家战略，增强开放联动效应。

第三，继续优化营商环境。营商环境是企业生存发展的土壤。今年10月24日，世界银行发表《2020营商环境报告》，中国营商环境排名由46位上升到31位，提升15位。上个月，中国公布了《优化营商环境条例》。今后,中国将继续针对制约经济发展的突出矛盾,在关键环节和重要领域加快改革步伐,以国家治理体系和治理能力现代化为高水平开放、高质量发展提供制度保障。中国将不断完善市场化、法治化、国际化的营商环境,放宽外资市场准入,继续缩减负面清单,完善投资促进和保护、信息报告等制度。中国将营造尊重知识价值的环境,完善知识产权保护法律体系,大力强化相关执法,增强知识产权民事和刑事司法保护力度。

第四,继续深化多双边合作。中国是国际合作的倡导者和多边主义的支持者。中国支持对世界贸易组织进行必要改革,让世界贸易组织在扩大开放、促进发展方面发挥更大作用,增强多边贸易体制的权威性和有效性。今天下午,中方将主办世贸组织小型部长会议。我们期待各方坦诚交换意见,共同采取行动,为完善全球经济治理贡献正能量。我高兴地得知,昨天区域全面经济伙伴关系协定 15 个成员国已经整体上结束谈判,希望协定能够早日签署生效。中国愿同更多国家商签高标准自由贸易协定,加快中欧投资协定、中日韩自由贸易协定、中国—海合会自由贸易协定谈判进程。中国将积极参与联合国、二十国集团、亚太经合组织、金砖国家等机制合作，共同推动经济全球化向前发展。

第五，继续推进共建“一带一路”。目前，中国已经同137个国家和30个国际组织签署197份共建“一带一路”合作文件。中国将秉持共商共建共享原则，坚持开放、绿色、廉洁理念，努力实现高标准、惠民生、可持续目标，推动共建“一带一路”高质量发展。

女士们、先生们、朋友们！

面向未来，中国将坚持新发展理念，继续实施创新驱动发展战略，着力培育和壮大新动能，不断推动转方式、调结构、增动力，推动经济高质量发展，为世界经济增长带来新的更多机遇。

我相信，中国经济发展前景一定会更加光明，也必然更加光明。从历史的长镜头来看，中国发展是属于全人类进步的伟大事业。中国将张开双臂，为各国提供更多市场机遇、投资机遇、增长机遇，实现共同发展。

女士们、先生们、朋友们！

中华文明历来主张天下大同、协和万邦。希望大家共同努力，不断为推动建设开放型世界经济、构建人类命运共同体作出贡献！

谢谢大家。

图书在版编目(CIP)数据

开放合作 命运与共:在第二届中国国际进口博览会开幕式上的主旨演讲/习近平 著. —北京:人民出版社,2019.11

ISBN 978-7-01-021544-0

Ⅰ.①开… Ⅱ.①习… Ⅲ.①习近平-讲话-学习参考资料②世界经济-经济发展-研究 Ⅳ.①D2-0②F113.4

中国版本图书馆 CIP 数据核字(2019)第 246266 号

(RMC-ZJDXI-082-20191105)

开放合作 命运与共

KAIFANG HEZUO MINGYUN YUGONG

——在第二届中国国际进口博览会开幕式上的主旨演讲

(2019 年 11 月 5 日)

习 近 平

人民出版社 出版发行

(100706 北京市东城区隆福寺街 99 号)

北京新华印刷有限公司印刷 新华书店经销

2019 年 11 月第 1 版 2019 年 11 月北京第 1 次印刷

开本:880 毫米×1230 毫米 1/32 印张:0.5

字数:7 千字

ISBN 978-7-01-021544-0 定价:2.00 元

邮购地址 100706 北京市东城区隆福寺街 99 号

人民东方图书销售中心 电话 (010)65250042 65289539